WIELKA KSIĘGA DLA MALUSZKÓW

Bajki o zwierzętach

WYDAWNICTWO
ELŻBIETA
JARMOŁKIEWICZ

Stała sobie raz w polu opuszczona chatka. Myszka Skrobiszka weszła do środka i zadomowiła się tu jak u siebie. Zaczęła zbierać zapasy na zimę. Nieopodal skakała żabka. Spodobał jej się domek, więc zapytała:

– Kto w tej chatynce mieszka?

– Ja, myszka Skrobiszka! A tyś kto?

– Jestem żabka Kumkatka.

– Chodź, zamieszkamy razem!

I zamieszkały we dwie.

Myszka Skrobiszka robiła na drutach ciepłe ubrania na zimę, a żabka Kumkatka rozwieszała pranie na sznurze. Wieczorami popijały herbatkę i zajadały sernik, śpiewając przy tym wesołe piosenki.

Pewnego dnia przykicał zajączek z gęślikami i zapytał:
– Kto w tej chatynce mieszka?
– Ja, myszka Skrobiszka!
– Ja, żabka Kumkatka! A tyś kto?
– Jestem zajączek Bojączek.
– Chodź, zajączku, zamieszkamy razem!
Zamieszkali we troje: myszka Skrobiszka zbierała kłoski na zimę, żabka Kumkatka łapała muszki, a zajączek Bojączek pilnował domku.

Któregoś dnia wędrowała w pobliżu lisiczka z koszem jabłek. Podeszła do chatki i zapytała:
– Kto w tej chatynce mieszka?
– Ja, myszka Skrobiszka.
– Ja, żabka Kumkatka!
– Ja, zajączek Bojączek. A tyś kto?
– Jestem lisiczka Siostrzyczka.
– Chodź do nas, zamieszkamy razem!

Zamieszkali we czworo: myszka Skrobiszka podlewała kwiaty, żabka Kumkatka odganiała od nich owady, zajączek Bojączek przygrywał na gęślikach, a lisiczka Siostrzyczka przygotowywała konfitury z jabłek.

Innego dnia koło domku przechodził wilczek i zapytał:
– Kto w tej chatynce mieszka?
– Ja, myszka Skrobiszka!
– Ja, żabka Kumkatka!
– Ja, zajączek Bojączek!
– Ja, lisiczka Siostrzyczka! A tyś kto?

– Jestem wilczek Szary Milczek.

– Chodź do nas, zamieszkamy razem!

I zamieszkali w pięcioro: myszka Skrobiszka, żabka Kumkatka, zajączek Bojączek, lisiczka Siostrzyczka i wilczek Szary Milczek.

Przyczłapał w pobliże domku miś Miszka ze wsi Nicponiska i bez pytania chciał wejść do chatki. Niestety nie zmieścił się. Niedźwiedź był bardzo duży – o wiele większy od domku. Zatoczył się, zachwiał i upadł

prosto na chatkę. Trach, trach! – chatynka rozpadła się z hukiem. Na szczęście wszyscy mieszkańcy zdążyli z niej uciec.

Próbowali znaleźć nową chatkę, ale nigdzie nie mogli się razem pomieścić.

Każde z nich mieszka teraz osobno: myszka Skrobiszka, żabka Kumkatka, zajączek Bojączek, lisiczka Siostrzyczka, wilczek Szary Milczek i miś Miszka ze wsi Nicponiska. Spotykają się jednak razem, popijają herbatkę i śpiewają wesołe piosenki.

osadził dziadek rzepkę. Wyrosła rzepka ogromna, przeogromna. Zaczął dziadek wyrywać rzepkę słodką i dorodną – ciągnie i ciągnie, a wyciągnąć nie może!

Mocno siedzi w ziemi dorodna rzepka.

Zawołał dziadek na pomoc babkę. Babka za dziadka, dziadek
za rzepkę – ciągną i ciągną, a wyciągnąć nie mogą!
Mocno siedzi w ziemi dorodna rzepka.

Zawołała babka na pomoc wnuczkę. Wnuczka za babkę, babka za dziadka, dziadek za rzepkę – ciągną i ciągną,
a wyciągnąć nie mogą!
Mocno siedzi w ziemi dorodna rzepka.

Zawołała wnuczka na pomoc pieska Żuczka. Żuczek za wnuczkę, wnuczka za babkę, babka za dziadka, dziadek za rzepkę – ciągną i ciągną, a wyciągnąć nie mogą!

Mocno siedzi w ziemi dorodna rzepka.

Zawołał Żuczek na pomoc kotka. Kotek za Żuczka, Żuczek za wnuczkę, wnuczka za babkę, babka za dziadka, dziadek za rzepkę – ciągną i ciągną, a wyciągnąć nie mogą!

Zawołał kotek na pomoc małą szarą myszkę. Myszka za kotka, kotek za Żuczka, Żuczek za wnuczkę, wnuczka za babkę, babka za dziadka, dziadek za rzepkę – pociągnęli wszyscy razem i wyrwali rzepkę!

Cieszyli się wszyscy: dziadek i babka, i wnuczka, i piesek Żuczek, i kotek, i mała szara myszka.

Nagotowała babka pysznej kaszy ze słodką rzepką. Jadła kaszę myszka, jadł kaszę kotek, jedli Żuczek i wnuczka, jadła kaszę babka i jadł kaszę dziadek – oto jaka wyrosła wspaniała rzepka!

NIESFORNA BUŁECZKA

Pewnego razu dziadek poprosił babuszkę, żeby mu upiekła bułeczkę.
Bułeczka wyszła z piekarnika śliczna jak malowanie – pachniała apetycznie i miała boczki rumiane. Staruszka położyła ją na parapecie pod oknem do ostygnięcia.

Bułeczka poleżała sobie, odpoczęła, lecz w końcu zapragnęła się ruszyć. Potoczyła się z parapetu na ławkę, z ławki na podłogę, po podłodze do drzwi. Przeskoczyła przez próg i hyc – do sieni. Z sieni wytoczyła się na ganek, z ganku na dróżkę, a dróżką poturlała się za bramę i dalej, w las.

Toczy się bułeczka, toczy leśną ścieżką, a tu naprzeciw niej kica zając.

– Bułeczko, bułeczko – zagaduje zając. – Zaraz cię zjem!

– Nie zjedz mnie, zającu, to zaśpiewam ci piosenkę – powiedziała bułeczka i zaśpiewała:

> – Jestem bułeczka zgrabnie utoczona,
> Krągła jak słońce i przyrumieniona.
> Uciekłam od siwego staruszka,
> Nie złapała mnie stara babuszka,
> To i tobie, zającu, ucieknę!

Myk! – bułeczka potoczyła się dalej i tyle ją zając widział.

Toczy się bułeczka, toczy leśną ścieżką,
a tu naprzeciw niej sunie szary wilk.

– Bułeczko, bułeczko – powiada wilk.
– Zaraz cię zjem!

– Nie zjedz mnie, wilku, to zaśpiewam ci
piosenkę:

Jestem bułeczka zgrabnie utoczona,
Krągła jak słońce i przyrumieniona.
Uciekłam od siwego staruszka,
Nie złapała mnie stara babuszka,
Uciekłam małemu zającowi,
To i tobie ucieknę, wilkowi!

Myk! – bułeczka potoczyła się w swoją
stronę i tyle ją wilk widział.

Toczy się bułeczka, toczy, a oto z naprzeciwka człapie niedźwiedź.
– Bułeczko, bułeczko – mówi niedźwiedź. – Zaraz cię zjem!
– Nie zjedz mnie, krzywołapy misiu, to zaśpiewam ci piosenkę:

Jestem bułeczka zgrabnie utoczona,
Krągła jak słońce i przyrumieniona.
Uciekłam od siwego staruszka,
Nie złapała mnie stara babuszka,
Uciekłam małemu zającowi,
Uciekłam szaremu wilkowi,
To i tobie ucieknę, misiowi!

Myk! – bułeczka potoczyła się w swoją stronę i tyle ją niedźwiedź widział.

Toczyła się bułeczka, toczyła, aż spotkała chytrą lisicę, a ta jak się nie zacznie oblizywać! Bułeczka tak jej powiedziała:
– Nie zjedz mnie, to zaśpiewam ci piosenkę:

Jestem bułeczka zgrabnie utoczona,
Krągła jak słońce i przyrumieniona.
Uciekłam od siwego staruszka,
Nie złapała mnie stara babuszka,
Uciekłam małemu zającowi,
Uciekłam szaremu wilkowi,
Uciekłam też niedźwiedziowi,
To i tobie, lisico, uciekne!

– Ach, bułeczko! – powiada chytra lisica. – Jakaś
ty śliczna i apetyczna, jaka rumiana i rozśpiewana!
Daleko stałam, słabo słyszałam. Czy mogłabyś usiąść
mi na nosie i zaśpiewać jeszcze raz, tylko głośniej?

Bułeczka ucieszyła się z pochwał i niewiele myśląc, wskoczyła lisicy na nos. Zaczęła śpiewać, lecz zanim skończyła, lisica – chaps! – połknęła ją za jednym zamachem.

Dawno, dawno temu mieszkali w leśnej chatce kot i kogucik. Żyli sobie zgodnie. Kot chodził do lasu rąbać drwa i polował, a kogucika zostawiał samego w domu. Podczas gdy kot spędzał cały dzień w lesie, kogucik nagotował kapuśniaku, nawarzył kaszy, napiekł chleba i czekał na przyjaciela.

Kot wychodząc, surowo nakazywał:

– Pójdę daleko, a ty zostań w domu, w gospodarstwie. Ale uważaj, jeśli lisica przyjdzie, nie odzywaj się ani słowem i nie wyglądaj przez okno, bo inaczej porwie cię i zabierze do swojej nory.

Jakimś sposobem lisica dowiedziała się, że kota nie ma w domu. Czym prędzej przybiegła do chatki. Zaczęła wołać kogucika, uprzejmymi słowami namawiać go do wyjścia i kusić dojrzałym grochem.

Kogucik trzymał się dzielnie, ale nie mógł oprzeć się pokusie – wyjrzał przez okienko. Zbyt apetyczny wydał się obiecany przez lisicę groch!

Lisica-szachrajka złapała kogucika i zaniosła do swej nory. Kogucik krzyczał ile sił:

– Złapała mnie lisica, podstępna zwodnica,
Niesie mnie do nory, za góry, za bory...
Kocie, przyjacielu, ratuj mnie!

Kot usłyszał kogucika, rzucił się w pogoń i uratował serdecznego przyjaciela z rąk lisicy.

W domu kot skarcił kogucika za nieposłuszeństwo i zakazał wyglądać przez okno.

Następnego dnia kot udał się do lasu po drwa jeszcze dalej od domu.

A lisica już do chatki dobiegła. Znowu oszukała ciekawskiego koguci-ka. Złapała go i poniosła do swojej nory.

Kogucik zaczął wołać kota.

Niestety, kot nie usłyszał krzyku kogucika. Wrócił do domu, a kogu-cika ani śladu!

Pobiegł kot tropem lisicy. Usiadł przed jej norą i zaczął grać na bałałajce:

– Bałałajko, zagraj pięknie,
Trącam złote struny,
Honor to i szczęście wielkie,
Śpiewać dla lisiczki kumy…

Lisica słuchała, słuchała, aż wylazła z nory zobaczyć, kto tak pięknie gra na bałałajce i wysławia ją w pieśni.

Kot schwytał lisicę i dalejże ją tłuc, okładać, wołając przy tym:

– Oddaj mojego przyjaciela kogucika, lisico!

Lisica ledwo się uratowała.

A kot i kogucik wrócili do domu i żyło im się jeszcze lepiej niż przedtem.

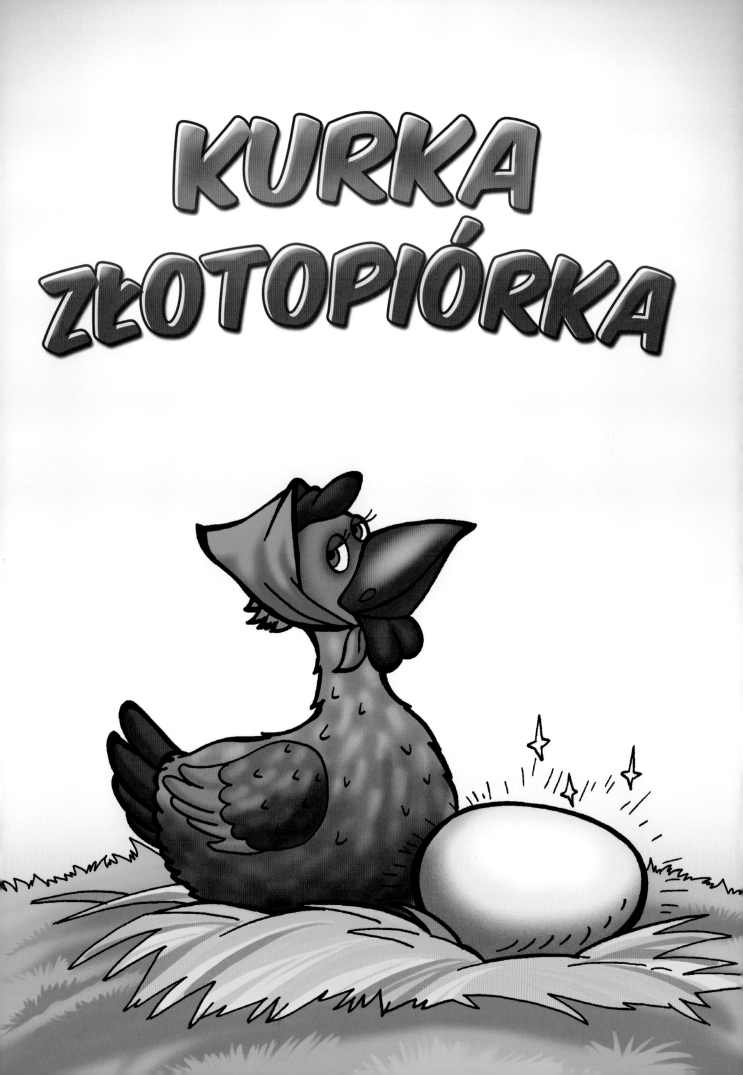

Żyli sobie dziad i baba,
Mieli śliczną kurkę –
Kurkę Złotopiórkę.

Zniosła kurka pod płotem
Jajko niezwykłe –
Szczerozłote.

Dziad bił, bił –
A nie rozbił.

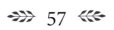

Baba biła, biła –
Nie rozbiła.

Myszka z norki wyskoczyła,
Ogonkiem jajko strąciła –
I rozbiła.

Dziad i baba płaczą,
Kurka gdacze:
– Nie płacz, dziadku, nie płacz, babko,
Zaraz zniosę zwykłe jajko.

Bo nie mam już ochoty
Znosić jajek złotych...

Pewien gospodarz miał wspaniałego, pracowitego konia. Jednak na starość koń nie miał już siły ciągnąć wozu ani orać pola. I oto pewnego dnia gospodarz wszedł do stajni, pogładził konia po grzywie i rzekł:

– Przyjacielu, nadeszła pora rozstania. Wiele lat byłeś moim wiernym pomocnikiem i dlatego postanowiłem wypuścić cię na wolność.

Gospodarz wziął konia za uzdę, zaprowadził go do kowala i poprosił:

– Kowalu, przybij mojemu koniowi takie podkowy, żeby wystarczyły mu do końca życia.

Kowal przybił koniowi nowe podkowy.

Gospodarz nakarmił konia do syta i wypuścił go do lasu, aby tam dożył swoich dni.

Cały dzień stary koń błąkał się po leśnej gęstwinie. Pod wieczór spotkał na swej drodze głodnego niedźwiedzia.

– Stój! – zaryczał zwierz.

– Czego chcesz ode mnie? – wystraszył się koń.

– Zgłodniałem i zaraz cię zjem.

– No cóż, zjedz, jeśli masz mocne zęby. Ale najpierw zmierzmy się siłami.

– Jak to „zmierzmy się"? – zdziwił się niedźwiedź.

– Najzwyczajniej w świecie. Każdy uderzy w ten oto wielki kamień. Kto zdoła wykrzesać z głazu iskry, ten jest silniejszy. Jesteś głodny, więc zaczynaj pierwszy!

Przymierzył się niedźwiedź do kamienia i jak nie walnie w niego łapą! Ale nie wykrzesał ani jednej iskry!

Wówczas koń wierzgnął tylnymi nogami, uderzył w kamień, a spod nowych podków posypały się iskry. Wystraszył się niedźwiedź i uciekł w leśny gąszcz.

I rozeszła się wieść, jakoby w lesie pojawiła się straszna bestia z ogromnymi zębami, ogonem do samej ziemi i żelaznymi kopytami, spod których sypią się iskry.

Od tej pory wszystkie leśne zwierzęta zaczęły omijać konia z daleka. A staremu, spracowanemu zwierzęciu właśnie spokój był potrzebny do szczęścia.

MASZA I NIEDŹWIEDŹ

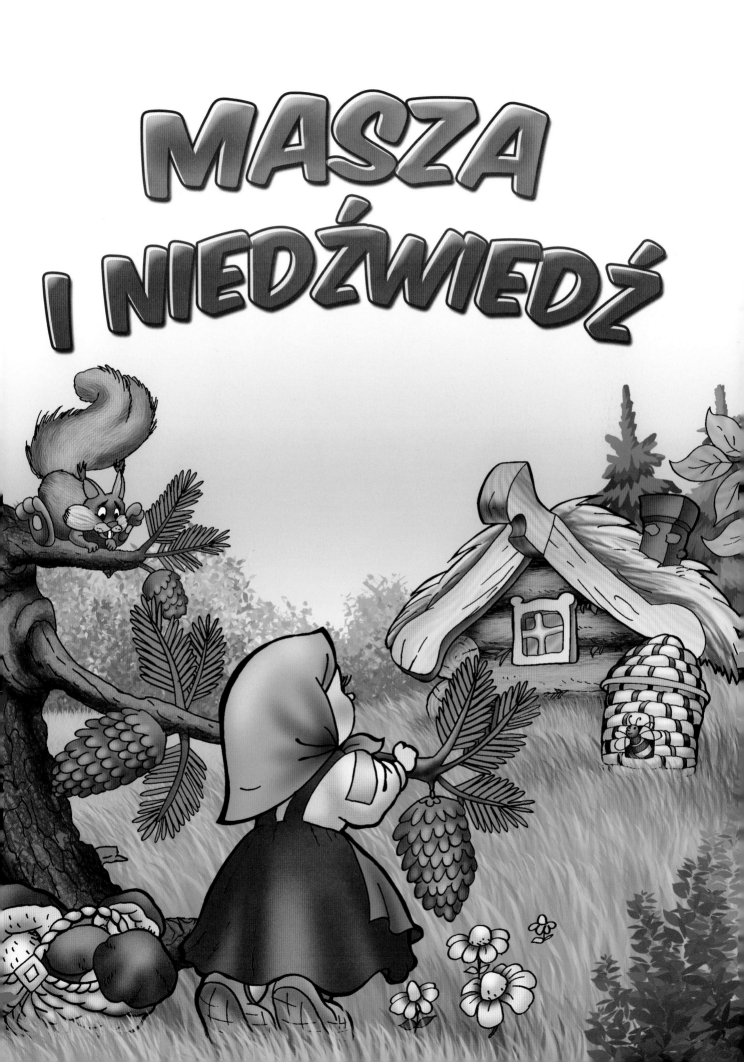

Żyli raz sobie dziadunio z babunią. Mieli wnuczkę Maszę.

Pewnego razu wybrała się Masza z koleżankami do lasu na grzyby. Dziadunio z babunią tak jej powiedzieli:

– Tylko uważaj w lesie. Nie oddalaj się od koleżanek, żebyś nie zabłądziła.

A w lesie było tak przyjemnie: ptaszki, żuczki i muszki, a wszystkie miłe dla Maszy, pomagają jej w zbieraniu grzybów.

W końcu Masza zapomniała się i odeszła daleko od koleżanek. Zaczęła wołać, ale nikt jej nie słyszał.

Chodziła po lesie, aż całkiem zabłądziła. W największej gęstwinie zobaczyła chatkę. Zastukała – nikt nie odpowiada. Pchnęła więc drzwi, a one otworzyły się na oścież.

W chatce tej mieszkał niedźwiedź, tylko akurat nie było go w domu. Gdy zjawił się wieczorem, zobaczył Maszę i z uciechy aż łapy zaciera:

– Już cię stąd nie wypuszczę, dziewczyno! Będziesz ze mną mieszkać, w piecu palić, kaszę gotować.

Zezłościła się Masza, ale nic nie mogła poradzić. Zamieszkała w niedźwiedziej chatce.

Niedźwiedź całymi dniami chodził po lesie, a Maszy przykazywał:

– Nigdy nie oddalaj się od chaty, bo wszędzie cię znajdę, złapię, a wtedy zjem!

Dziewczyna zaczęła głowić się nad tym, jak by tu od niedźwiedzia uciec. Myślała, myślała, aż wymyśliła.

Pewnego dnia wrócił niedźwiedź z lasu, a Masza rzekła:

– Wypuść mnie, niedźwiedziu, do wsi, żebym zaniosła prezent babuni i dziaduniowi.

– Nie, bo w lesie zabłądzisz – odpowiedział niedźwiedź. – Daj ten prezent, sam im zaniosę!

A Maszy właśnie o to chodziło!

Napiekła pierożków, włożyła je do wielkiego kosza i mówi do niedźwiedzia:

– Zanieś pierożki babuni i dziaduniowi. Tylko kosza po drodze nie otwieraj, pierożków nie wyjmuj. Wejdę na wysokie drzewo i będę pilnować, czy nie podjadasz!

– No dobrze – odparł niedźwiedź. – Daj ten kosz.

– Wyjdź jeszcze na ganek i sprawdź, czy nie zanosi się na deszcz.

Niedźwiedź wyszedł, a Masza szybko wskoczyła do kosza i przykryła się pierożkami.

Niedźwiedź wrócił do izby, wziął kosz na plecy i poszedł do wsi. Szedł, szedł, aż przystanął na chwilę i mówi:

– Znajdę wygodny pieniek,
przysiądę i zjem jeden pierożek.

A Masza z koszyka ostrzega:

– Siedzę ja tak wysoko,
że widzę bardzo daleko.
Nie waż się tutaj siadać,
mojego prezentu zjadać.

– Ależ ma bystry wzrok – zdziwił się niedźwiedź. – Widać rzeczywiście wysoko wlazła. – I szybko poszedł dalej.

Szedł, szedł, aż znowu przystanął na chwilę i mówi:

– Znajdę wygodny pieniek,
przysiądę i zjem jeden pierożek.

A Masza z koszyka ostrzega:

– Siedzę ja tak wysoko,
że widzę bardzo daleko.
Nie waż się tutaj siadać,
mojego prezentu zjadać.

– Ależ ma bystry wzrok – zdziwił się znowu niedźwiedź. – Widać rzeczywiście wysoko wlazła. – I szybko poszedł dalej.

Przyszedł niedźwiedź do wsi i dawaj z całych sił walić w bramę domu babuni i dziadunia.

– Otwórzcie, otwórzcie! Przyniosłem wam prezent od Maszy!

Na taki hałas ze wszystkich zagród wypadły psy i rzuciły się na niedźwiedzia…

Wystraszył się niedźwiedź, postawił kosz pod bramą i nie oglądając
się za siebie, uciekł do lasu.

Dziadunio podniósł wieko kosza, zagląda do środka i własnym oczom nie wierzy – w środku siedzi Masza, cała i zdrowa.

Dziadunio z babunią wyściskali Maszę, wycałowali i odtąd nazywali ją swoją spryciulką.

JAK LISICA UCZYŁA SIĘ LATAĆ

Pewnego razu żuraw spotkał lisicę i pyta rudą spryciarę:
– Lisiczko, czy umiesz latać?
– Nie, nie umiem.
– W takim razie siadaj na mój grzbiet, nauczę cię.

Usiadła lisica na grzbiecie żurawia, a ten uniósł ją wysoko, że ho, ho!
– Jak tam, lisico, widzisz ziemię?
– Ledwie widzę: skurczyła się zupełnie!

Żuraw zrzucił ją z siebie.
Lisica upadła na kopę miękkiego siana.
Podleciał żuraw:
– I jak, lisico, umiesz latać?
– Latać umiem, ale lądować ciężko!

– Siadaj na mój grzbiet jeszcze raz, nauczę cię – mówi żuraw.
Usiadła lisica na żurawia.
Ten uniósł ją jeszcze wyżej niż poprzednio i zrzucił.

Lisica spadła do bagna. Zanurzyła się głęboko w grzęzawisku, a kiedy wyszła z błota, wszyscy sąsiedzi pękali ze śmiechu.

Tak oto lisica nie nauczyła się latać. Może jednak kiedyś się nauczy?

NAĆ I KORZONKI

Pewien chłop postanowił posiać koło lasu rzepę. Właśnie sadził ją na polu, gdy podszedł do niego niedźwiedź i zaryczał:
– Chłopie, ja cię zjem!

– Nie zjadaj mnie, Miszeńka. Wyrośnie rzepa, wezmę sobie korzonki, a tobie dam wszystko, co nad ziemią.

– No, może tak być – zgodził się niedźwiedź. – Ale jeżeli mnie oszukasz, to więcej nie wchodź do lasu.

Tak powiedział i zniknął w leśnej gęstwinie.

Rzepa obrodziła – wyrosła pękata i słodka. Jesienią chłop przyjechał, żeby ją wykopać. A tu niedźwiedź z lasu wychodzi, upomina się o swoje:

– Chłopie, pora rzepę dzielić! Dawaj moją część!

– Oczywiście, Miszeńka, dzielimy się wedle umowy: dla ciebie to, co nad ziemią, dla mnie korzonki.

Zostawił chłop niedźwiedziowi całą nać, a rzepę załadował na wóz i powiózł do miasteczka na targ, żeby ją sprzedać.

Sprzedał chłop rzepę, a i sobie niemało zostawił do kaszy. Jedzie drogą powrotną przez las, aż tu naprzeciw niego idzie niedźwiedź.

– Skąd jedziesz, chłopie? – zapytał krzywołapy.
– Z targu jadę, Miszeńka, gdzie sprzedałem korzonki.
– A daj mi spróbować takiego korzonka!
　　　　Co było robić, dał chłop niedźwiedziowi rzepę.

Skosztował niedźwiedź rzepy i rozzłościł się:

– Oszukałeś mnie! Moja zielenina jest gorzka, a twoje korzonki słodziutkie. Teraz lepiej nie przyjeżdżaj do mnie do lasu po drewno, bo cię zjem!

Przyszła wiosna. Chłop na polu, na którym wcześniej rosła rzepa, posiał żyto. Zboże wybujało pięknie.

Przyjechał chłop żąć żyto, a niedźwiedź już tam na niego czeka.

– Teraz, chłopie, już mnie nie oszukasz. Dawaj moją część. Tylko tym razem to, co nad ziemią, dla ciebie, a dla mnie korzonki.

Chłop oczywiście ucieszył się, że nie straci cennych kłosów.

– Niech ci będzie, Miszeńka. Bierz korzonki, a ja sobie wezmę to z wierzchu.

Zebrali zboże. Chłop dał niedźwiedziowi korzonki, a kłosy ze słomą zabrał na wóz i pojechał żyto młócić, a później zawiózł ziarno do młyna.

Długo niedźwiedź biedził się nad tym, jak by tu zjeść korzonki żyta,
ale nie dał rady. Tym razem rozgniewał się na chłopa już nie na żarty.
Od tej pory chłop boi się zapuszczać głęboko w las.

potkali się kiedyś na balu lisica i żuraw. Zawiązała się między nimi przyjaźń.

Pewnego razu lisica zaprosiła żurawia do siebie na obiad.

– Przyjdź, kumie, przyjdź, złociutki! Zobaczysz, jak cię ugoszczę – podjesz sobie u mnie do syta!

Żuraw uradował się z tego zaproszenia i postanowił wybrać się do lisicy w gości. Gdy przybył na proszoną ucztę, sprytna lisica rozmazała kaszę mannę na talerzach i namawia:

– Jedz, kumie, jedz, sama przyrządziłam!

Żuraw stukał i stukał dziobem po talerzu, ale i tak nie udało mu się nic zjeść. Tymczasem lisica całą kaszę zlizała językiem i mówi:

– Wybacz, kumie, ale niczym innym cię nie poczęstuję, to wszystko, co mam.

– Dziękuję, kumo, i za to! – odpowiada żuraw. – Teraz ty przyjdź do mnie w gości.

Następnego dnia żuraw wstał skoro świt, poszedł do ogrodu, nazrywał różnych warzyw, następnie zszedł do piwnicy i przyniósł stamtąd chłodnego kwasu chlebowego.

Przygotował pyszny i pachnący warzywny chłodnik, wlał go do dwóch dzbanków z wąskimi szyjkami i postawił na stole.

Zawitała lisica do żurawia w gości. Ten usadził ją przy stole i mówi:
– Jedz, kumo najmilsza, jedz! Wszystko to sam dla ciebie przygotowałem. A jak się starałem, aby chłodnik przypadł ci do gustu!

Kręciła się i kręciła lisica wokół dzbana, ale pyszczek w żaden sposób nie przechodził przez wąską szyjkę. Tak więc przyszło jej siedzieć przy stole głodnej. A żuraw cały chłodnik wyjadł ze swojego dzbanka z łatwością; dziób miał przecież długi, długaśny.

– Cóż, wybacz mi, kumo! – mówi żuraw. – Nie mam nic więcej, czym mógłbym cię poczęstować. Ale kiedy następne warzywa w ogrodzie podrosną, wówczas znowu zaproszę cię w gości!

Wróciła zatem lisica do domu obrażona. Myślała, że w gościach na cały tydzień najeść się zdoła, a musiała odejść z kwitkiem.

Nie na próżno mówi się: „Jak Kuba Bogu, tak Bóg Kubie".

Taki był koniec przyjaźni lisicy z żurawiem.

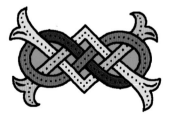

DWIE MYSZKI

Pewnego pogodnego dnia domowa myszka wyszła spod podłogi i poszła w gości do swojej krewnej, polnej myszki, która mieszkała w norce za strumykiem na skraju lasu.

– Witaj, kuzynko! – ucieszyła się polna myszka. – Jak znalazłaś drogę
i nie pobłądziłaś?

– A dlaczegóż miałam błądzić? Ale mówże, kuzyneczko, co to za stos
w twojej norce leży?

– To są kiełkujące ziarna, moje pożywienie – odpowiedziała z dumą polna myszka.

– To ci dopiero wikt! – zdziwiła się mysz domowa. – Ja żywiąc się w ten sposób, dawno bym umarła z głodu. Moje posiłki, kuzynko, wyglądają

zupełnie inaczej: z rana mięso, na obiad słonina, na kolację śmietana. I wszystko to znajduję w kuchni, tuż koło norki. Moje życie w porównaniu z twoim, to szczere złoto. Chodźmy do mnie, będziemy mieszkać razem.

– Dobrze, chodźmy.

Nocą obie myszki wydostały się spod podłogi i domowa mysz zapytała świerszcza:

– Świerszczu, świerszczu! A gospodarz w domu?

– Nie, pojechał na bazar sprzedawać mysie futerka – odpowiedział świerszcz.

– Droga wolna – ucieszyła się domowa mysz. – Ty, kuzynko, zostań tu, przy norce. Ja będę przynosić zapasy, a ty układaj je w norce. We dwie szybko uporamy się ze wszystkim.

Domowa myszka ledwie zdążyła zrobić dwa kroki, gdy nagle napadł na nią kot. Na szczęście, myszce udało się czmychnąć do norki, w przeciwnym razie skończyłoby się jej złote życie.

– To nic – pocieszyła kuzynkę mysz domowa.

– W sieni jest słonina, pobiegnijmy tam.

Przedostały się do sieni, a tam nowe nieszczęście: gospodarz wrócił do domu, zobaczył myszy i dalej tłuc je miotłą! Myszki cudem uszły z życiem.

Zobaczywszy takie „luksusowe" życie i najadłszy się strachu, polna myszka szybko się spakowała i mówi do myszy domowej:

– Wolę kiełkujące ziarna spokojnie jeść niż twoje wyszukane potrawy w ciągłym strachu. Ja swoje ziarenka sama zbieram, a ty starasz się przeżyć na cudzy rachunek. Żegnaj!

Od tej pory polna myszka nie chodzi w gości do kuzynki, a mysz domowa raz po raz przed kotem i gospodarzem musi uciekać.

KOZA KŁAMCZUCHA

Żyli sobie niegdyś dziadek i babka, a z nimi wnuczka Marysia. Nie mieli ani krówki, ani kurki – tylko jedyną kozę.

Pewnego razu dziadek posłał wnuczkę na pastwisko z kozą. Marysia pasła kozę w dolinach i na zielonych pastwiskach, a pod wieczór przygoniła ją do domu.

Pyta staruszek:

– Kózko, kozuniu, co jadłaś? Co piłaś?

– Nic nie jadłam i nie piłam, kiedy biegłam przez mosteczek, zerwałam klonowy listeczek, a biegnąc przez grobelkę, łyknęłam wody kropelkę.

Rozłościł się dziadek na wnuczkę i przegnał ją precz.

Następnego dnia staruszek wysłał babkę, aby pasła kozę. Ta kozę pasła i pasła, aż wreszcie przygnała ją do domu.

Staruszek pyta:

– Kózko, kozuniu, co jadłaś? Co piłaś?

– Nic nie jadłam i nie piłam, kiedy biegłam przez mosteczek, zerwałam klonowy listeczek, a biegnąc przez grobelkę, łyknęłam wody kropelkę.

Rozzłościł się dziadek na babkę i przegonił ją precz.

Tym razem sam staruszek poszedł wypasać kozę na zielonych łąkach. Wreszcie pognał ją do domu, ale sam przodem pobiegł i pyta:

– Kózko, kozuniu, co jadłaś? Co piłaś?

– Nic nie jadłam i nie piłam, kiedy biegłam przez mosteczek, zerwałam klonowy listeczek, a biegnąc przez grobelkę, łyknęłam wody kropelkę.

Rozzłościł się staruszek na kozę kłamczuchę, chwycił rózgę i dalejże zwierzę po bokach okładać.

Ledwo, ledwo wyrwała się koza i uciekła do lasu.

Koza pędziła przez las, aż dobiegła do zajęczej chatki, wspięła się na piec i leży.

Przychodzi zajączek – drzwi zamknięte.

– Któż to taki siedzi w moim domku? – pyta.

A koza mu odpowiada:

– Ja, kozucha kłamczucha. Jak zatupię kopytami, jak pobodę rogami i zawinę ogonem – uciekniesz na kilometr.

Zajączek wystraszył się i czmychnął.

Siedzi zajączek na pniu, płacze, a łzy łapkami ociera. Idzie kogucik Czerwony Grzebyczek, na ramieniu niesie kosę i piosenkę dźwięczną nuci.

Kogucik zobaczył zajączka i pyta:

– Dlaczego płaczesz, zajączku?

– Jakże mam nie płakać? Kozucha kłamczucha zajęła moją chatkę, a mnie wygnała.

– Chodźmy zajączku, pomogę ci w nieszczęściu.

Przyszli obaj do chatki, a kogucik jak nie zapieje:
– Idzie kogut, dzielny chwat!
Za plecami kosę chowa!
Zaraz spadnie kozy głowa!
Kukuryku!
Kiedy kozucha kłamczucha usłyszała groźby kogucika Czerwonego
Grzebyczka, tak się przelękła, że ze strachu spadła z wysokiego pieca, jak
z procy wyleciała przez drzwi i co sił w nogach uciekła w gęsty las!

Zajączek ponownie zamieszkał w swojej chatce i zajął się uprawą marchewki. A gdzie kozucha kłamczucha podziewa się teraz? Tego nikt nie wie!

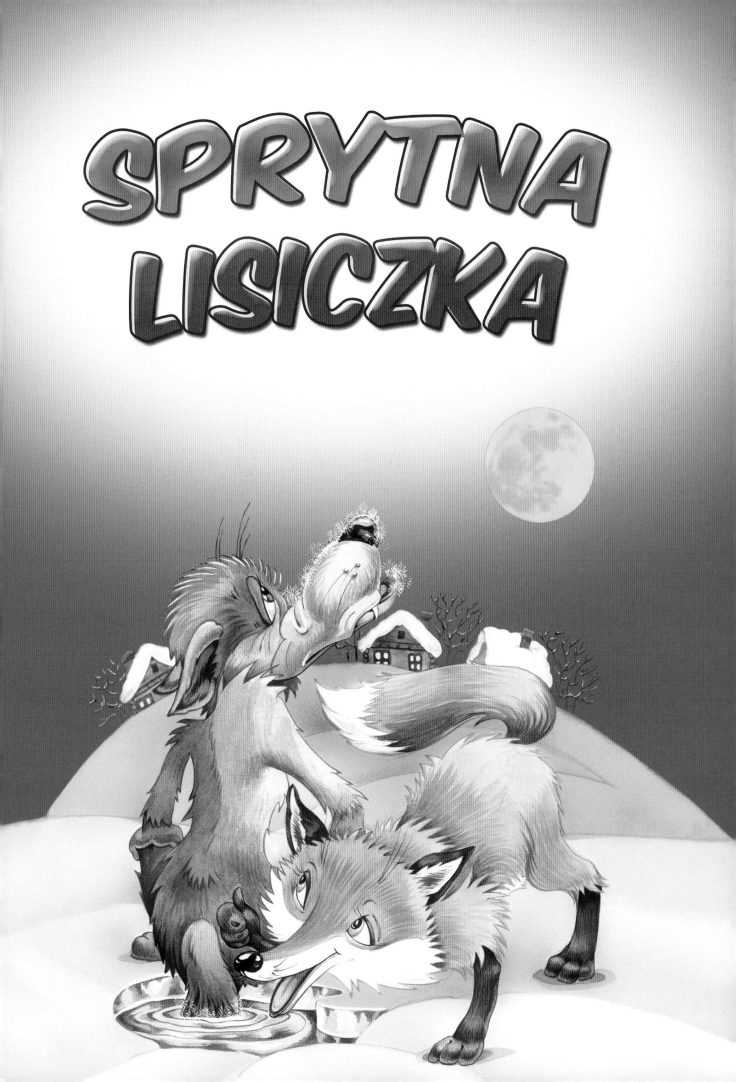

Żyli sobie dziadek i babcia. Pewnego razu staruszek rzekł:

– Ty, żono, piecz placki, a ja zaprzęgnę sanie i pojadę na ryby.

Nałowił ryb i wiezie do domu całe sanie. Jedzie tak sobie, patrzy, a tu lisiczka zwinięta w kłębek leży na drodze. Chłop zgramolił się z sań, podszedł do lisiczki, a ona ani drgnie, zupełnie jak martwa.

– Ale będzie niespodzianka dla żony! – ucieszył się staruszek, wziął lisiczkę i położył na sanie, sam zaś poszedł przodem.

A lisiczka wybrała odpowiedni moment i zaczęła po cichutku wyrzucać z sań rybę za rybą, rybkę za rybką. Powyrzucała wszystkie ryby i sama uciekła.

– No, żono – mówi staruszek. – Zobacz, jaki kołnierz przywiozłem ci do futra!

– Gdzie?

– A na saniach – i ryby, i kołnierz.

Podeszła babka do sań, a tam ani kołnierza, ani ryb. Zaczęła mężowi wymyślać:

– Ach, ty, szachraju! Zachciało ci się mnie okłamywać!

Wtedy chłop połapał się, że lisiczka nie była martwa. Posmucił się, pobiadolił, ale cóż było robić – nic nie mógł na to poradzić.

A lisiczka zebrała wszystkie porozrzucane ryby na kupkę, usiadła na drodze i zajada sobie. Przychodzi do niej szary wilk:

– Witaj, kumo!

– Witaj, bracie!

– Daj mi trochę rybek!

– Nałów sam i jedz.

– Nie umiem.

– Zrób tak: idź nad rzekę, opuść ogon w przerębel, siedź i powtarzaj: „Złów się, rybko, zaraz – i wielka, i mała! Złów się, rybko, zaraz – i wielka, i mała!". A ryby same przyczepią ci się do ogona.

Poszedł wilk nad rzekę, opuścił ogon w przerębel i zaczął mówić:

– Złów się, rybko, zaraz – i wielka, i mała! Złów się, rybko, zaraz – i wielka, i mała!

W ślad za nim nad rzeką zjawiła się lisiczka. Chodzi wokół wilka i szepcze:

– Niechże mróz dziś ściśnie srogo! Niech zamarznie wilczy ogon!

– Cóż tam szepczesz, lisiczko?

– Pomagam ci tylko.

Skłamała spryciara i znów zaczęła złorzeczyć:

– Niech zamarznie wilczy ogon!

Długo, długo siedział wilk w przeręblu. Całą noc nie ruszał się z miejsca i ogon mu przymarzł. Próbuje się podnieść, nijak nie może!

„Ileż ryb się przyczepiło – trudno wyciągnąć!" – myśli.

Nagle patrzy, a tu chłopki idą po wodę i krzyczą:

– Wilk, wilk! Bić go, na niego!

Przybiegły kobiety i zaczęły okładać wilka – jedna nosidłem, druga wiadrem, inne czym popadło. Wilk skakał, skakał, aż oderwał sobie ogon i nie oglądając się za siebie, co tchu rzucił się do ucieczki.

„Dobrze – myśli – już ja ci się odpłacę, lisiczko!".

Podczas gdy wilk uciekał przed wieśniaczkami, sprytna lisiczka już zbliżała się do wsi. Liczyła, że jeszcze coś jej się uda zwinąć.

Weszła do jakiejś chaty, gdzie gospodyni akurat smażyła naleśniki. Wpadła mordką do naczynia z ciastem, wymazała się nim i w nogi! A na skraju lasu wilk już na nią czeka:

– Ach, ty, szelmo! Przez ciebie cały jestem pobity!

– Ech, wilku! – mówi lisiczka. – Ty masz tylko kilka siniaków, a mi coś po głowie cieknie. Bardziej niż ty ucierpiałam, ledwo się wlokę.

– Rzeczywiście – mówi wilk – gdzież tobie teraz iść, siadaj na mnie, poniosę cię.

Lisiczka siadła mu na grzbiet i ruszyli. Siedzi sobie lisiczka wygodnie i cichutko podśpiewuje:

– Pobity zdrowego niesie! Pobity zdrowego niesie!

– Co mówisz, kumo?

– Mówię tylko: „Pobity pobitego niesie".

– Święta racja, lisiczko, święta racja!

Teraz kiedy naiwny wilk zobaczy na rzece przerębel, wciąż nieudane połowy wspomina i oberwanego ogona żałuje.

NIEDŹWIEDŹ LIPOWA NOGA

Pewnego razu niedźwiedź postanowił pojeść sobie malin, które dojrzały w ogrodzie u chłopa. Nazbierał cały koszyczek, usiadł pod drzewem i po jednej z koszyczka wyciąga i smakuje. A maliny są tak słodkie i tak pyszne, że tylko zajadać i łapy oblizywać!

Nie zauważył niedźwiedź, jak chłop z żoną wrócili do domu. Ci zobaczyli złodzieja i rzucili się na niego z krzykiem.

Niezdara wyrzucił ze strachu swój koszyk i w nogi! Tak się wystraszył, że nawet nie zauważył, jak wdepnął łapą prosto w ul pełny lipowego miodu.

Siadł niedźwiedź pod drzewem i myśli, jak tu ul z nogi zdjąć. Zobaczył go dzik i mówi:

– Pomogę ci w nieszczęściu. Mam ostre kły, więc w mig drewniany ul rozłamię.

Jednak mimo ogromnych starań, ula zdjąć się nie udało. Niedźwiedź omal nie rozpłakał się z rozpaczy. Wówczas dzik zawołał na pomoc inne zwierzęta i wszystkie zaczęły się zastanawiać, jak uwolnić przyjaciela.

Wilk chciał rozgryźć ul swoimi mocnymi zębami, lisica wymyśliła jakieś sprytne urządzenie, nawet zając proponował niedźwiedziowi swoją pomoc. Ale na nic zdało się to wszystko. Wtedy przemówił stary puchacz, który siedział na dębie:

– Wiem o twoim nieszczęściu, niezdaro. Dam ci jedną mądrą radę: pomóc może ci tylko ten, u którego kradłeś maliny.

Długo wahał się niedźwiedź. Bał się, ale cóż było począć – poszedł do wsi. Położył się przy ganku domu, w którym mieszkali chłop z żoną, i udawał śpiącego. Wieśniacy początkowo się wystraszyli, ale wnet zrozumieli, jakie nieszczęście spotkało zwierzę.

– Ech, ty, niedźwiedziu! Aleś ty niezdarny – tak prosto w ul wdepnąć. Będziesz miał nauczkę, żeby cudzych malin nie szabrować – powiedziała babka.

– Nieźle ci się łapa musiała dać we znaki, skoro do nas przyszedłeś po pomoc. Niech więc będzie, pomożemy ci – ulitował się staruszek.

Wzięli z żoną piłę, przepiłowali ul i uwolnili niedźwiedzią łapę.

Niedźwiedź z radości aż zatańczył. Patrząc na niego, staruszkowie sami puścili się w tany.

Od tej pory przezywali niezdarę Niedźwiedź Lipowa Noga. On zaś nigdy więcej nie zrywał cudzych malin.

ZIMOWISKO ZWIERZĄT

Szedł byk ze wsi na łąkę poskubać trawkę i spotkał barana.

    – Dokąd idziesz? – pyta byk.

– Idę szukać lata – odpowiada baran. – Chodźmy razem!

Poszli dalej we dwójkę i spotkali świnię.

    – Dokąd idziecie, przyjaciele? – pyta świnia.

    – Od zimy do lata – odpowiadają byk i baran. – Chodź z nami!

Poszli dalej we troje, spotkali gąsiora.

– Dokąd to, gąsiorze, kuśtykasz? – pytają byk, baran i świnia.

– Od zimy lata szukam – odpowiada gąsior.

– I my tam zmierzamy. Zatem pójdziemy razem we czworo.

Nagle kogut na płocie zamachał skrzydłami i mówi:

– Weźcie mnie ze sobą, przyjaciele! Bardzo już chciało-by się lata.

I poszli dalej w pięcioro.

Szły zwierzęta i szły, a lata wciąż nie było widać.

– W ten sposób zimy się doczekamy – rzecze byk. – Trzeba ciepłe mieszkanko budować, żebyśmy wszyscy nie zamarzli.

– Ja mam ciepłe futro, zobacz, jaka wełna – mówi baran. – Ja i tak przezimuję.

– A ja zaryję się w ziemi – mówi świnia. – Mnie
i tam będzie ciepło.

– A my mamy po dwa skrzydła – mówią gąsior
i kogut. – Na świerk polecimy, jednym skrzydłem
podścielimy, drugim się nakryjemy – i mróz nam
niestraszny.

– A więc idźcie sobie dalej! – odpowiada byk.
– Sam będę chatę budował.

Wybudował byk domek. Nadeszła surowa zima. Mieszkał sobie byk w cieple i dostatku. A zwierzęta po lasach i łąkach się błąkały, lecz nigdzie nie mogły schronić się przed zimnem. W końcu przyszły do byka prosić, aby pozwolił im przezimować w chatce.

– Macie przecież ciepłe futro, ostre kopyta i puszyste skrzydła – rzecze do nich byk. – Zimujcie zatem na dworze.

– A więc tak! Jeśli mamy marznąć – zaczęły krzyczeć
zwierzęta – to i ciebie mróz dosięgnie! Rogami okna i drzwi
wybijemy, dziobami mech ze ścian wyskubiemy, pazurami
słomę z dachu ściągniemy, pod murami jamy wykopiemy.

Pomyślał byk, podumał i wpuścił leniwe zwierzęta, aby
w domku przezimowały.

Zagrzały się zwierzęta, kogut nawet piosenkę zaśpiewał. Akurat biegła przez las lisica, usłyszała koguta, zajrzała przez okienko i widzi: chata pełna zwierząt. Pobiegła lisica do wilka i niedźwiedzia i mówi:

– Drodzy przyjaciele, znalazłam dla nas wszystkich pożywienie. Dla ciebie, niedźwiedziu, byka, dla wilka – barana, a dla mnie – koguta i gąsiora.

– Dobrze, kumo – mówią wilk i niedźwiedź – będziemy ci dozgonnie wdzięczni. Prowadź nas do nich, bo zupełnie z głodu wychudniemy.

Przyprowadziła lisica leśnych rozbójników do chaty byka i proponuje:
– Ty, niedźwiedziu, otwórz drzwi, a ja pierwsza wskoczę po koguta
i gąsiora.

Wskoczyła lisica do domku. Byk ją zobaczył, rogami do ściany przycisnął, a baran tak po bokach bódł, że ruda szachrajka wyzionęła ducha. W ślad za lisicą niedźwiedź wysłał do chaty wilka. Baran tak grzmotnął go rogami w głowę, że szary rozbójnik przestał oddychać.

Wsunął się i niedźwiedź do chaty. Patrzy, a tu przyjaciele-
-rozbójnicy leżą po kątach bez tchu. I zanim byk i baran za-
brali się do niego, niedźwiedź rzucił się na oślep do ucieczki.

Od tej pory byk ze swoimi przyjaciółmi mieszka w ciepłej chatce, a niedźwiedź zimą po lesie sam się nie włóczy, śpi w legowisku pod śniegiem i nikomu nie zagraża.

LISICA I RAK

W pewnym lesie, w cieniu drzew płynęła wartka rzeczka. Woda w niej była tak przejrzysta, że można było policzyć wszystkie kamyczki na dnie. Pod jednym z nich mieszkał rak, który z rybami prowadził poważne dyskusje. Miał ogromne szczypce, długie wąsiska, był cały czarny i odziany w pancerz.

A w wąwozie, w norce pod starą sosną mieszkała lisica. Miała rude, błyszczące jak słońce futerko, puszysty ogon z białym pędzelkiem na końcu, czarny perkaty nosek i biały brzuszek.

W pewne upalne letnie południe lisica przyszła nad rzekę napić się. Nachyliła się ku wodzie i zobaczyła swoje odbicie jak w lustrze. Zapatrzyła się lisica, zachwyciła sobą. I tak się okręca, i owak obraca. Nie może się powstrzymać – dawajże sama siebie wychwalać:

– Mam bystre oczka, czuły nosek, uszka czujne jak dwa radarki, szybkie łapki. Nawet wiatr mnie nie doścignie. Jestem zręczna i sprytna, i mądra. Nikt nie może się ze mną równać. Jestem najwspanialsza.

Słuchał, słuchał rak lisich przechwałek – nie wytrzymał. Postanowił dać nauczkę chwalipięcie. Wysunął głowę z wody i mówi:

– I czegóż się, lisico, przechwalasz. Myślisz, że w lesie nikt ci nie dorówna? Jeśli tylko zechcę, nie tylko cię dogonię, ale nawet prześcignę.

A lisica nie wierzy:

– Chyba nie zamierzasz się ze mną ścigać? Nawet biegać nie umiesz, tylko pełzasz, a i to tyłem do przodu.

Lecz rak nie ustępuje, podjudza:

– Tak czy inaczej cię przegonię. Ścigajmy się.

Roześmiała się lisica.

– Zgoda, biegnijmy. Tylko nie miej do mnie żalu, skoro sam chciałeś.

Wypełznął rak na piaszczysty brzeg. Zawodnicy ustawili się obok siebie, przygotowali. Na znak rozpoczęcia wyścigu lisica jak się nie zerwie, tylko rudy ogon jak błyskawica mignął wśród świerków! A rak lisiego ogona się uczepił, ledwie nadążał pni unikać.

Długo biegła lisica, zupełnie opadła z sił. Zatrzymała się, aby spojrzeć, jak daleko w tyle został konkurent.

A rak puścił ogon, odpełznął nieco na bok i mówi:

– Wreszcie się ciebie doczekałem, lisico. Widzę, że ciężko ci było – cała jesteś zdyszana. Nic to, odpocznij troszeczkę i pobiegniemy dalej, jeśli zechcesz.

Lisica tak się zdziwiła, że nie mogła wymówić słowa. Nijak nie może pojąć, w jaki sposób rak zdołał ją prześcignąć! A on tylko się uśmiecha i wąsami rusza.

Lisicy zrobiło się wstyd – widocznie rak miał rację. Od tej pory lisica więcej nad rzeczkę nie chodzi, boi się spotkania z rakiem.

NIEDŹWIEDŹ I PIES

Żyli sobie chłop z żoną. Mieli dobrego psa. Wiernie służył gospodarzom: pilnował domu, spichlerzy, na podwórze obcych nie wpuszczał. Przyszedł czas, kiedy pies się zestarzał. Przestał szczekać, tylko żałośnie skomlał, gdy rankiem kobieta kopniakiem przeganiała go z ganku.

Znudził się stary pies gospodarzowi. Chciał go pozbawić życia, ale zrobiło mu się żal, więc zaprowadził psa do lasu i tam zostawił. Wałęsał się pies po lesie, szukał pożywienia. Lecz gdzież mu, staremu, dzikiego zwierza dogonić. Wyszedł na skraj lasu tuż przy wiosce, położył się pod drzewem i czekał na głodową śmierć.

Nagle nadszedł niedźwiedź, zobaczył psa i pyta:

– Co się tak tu rozłożyłeś, psino?

– Przyjdzie mi umrzeć z głodu. Widzisz, niedźwiedziu, póki są siły, ludzie karmią i poją, a kiedy się zestarzejesz – przeganiają z podwórza!

– Po co głodować? – dziwi się niedźwiedź. – Oto na łące pasie się gospodarski ogier. Zaraz go upoluję i mięsa wystarczy ci na długo.

– Coś ty, niedźwiedziu – odrzekł pies. – Wolałbym raczej sam z głodu umrzeć, niż Siwka pozbawić życia.

– W takim razie zaprowadź mnie na pole, gdzie chłopki koszą zboże – nie ustępuje niedźwiedź. – Podkradnę się i schwycę dziecko twojej gospodyni. A ty mnie dogoń i odbierz dziecko. Gdy odbierzesz, odnieś je do matki. Za to będzie cię karmić jeszcze lepiej niż wcześniej.

Tak też postanowili. Tylko niedźwiedź dziecko pochwycił, zaraz pies z ujadaniem z krzaków na zwierzę się rzucił. Żniwiarki ze strachu podniosły

taki krzyk, że niedźwiedź sam malca z pazurów wypuścił i pognał co tchu do lasu.

    – Patrzcie – mówią kobiety – dzielny pies, z łap takiego zwierza dziecko uratował.

    A jak była szczęśliwa matka dziecka!

    – Z takim psem – mówi – nigdy się nie rozstanę!

Przyprowadziła chłopka psa do domu, nakarmiła mięsem, napoiła mlekiem, miękki dywanik przy ciepłym piecu pościeliła.

Wrócił do domu mąż. Kobieta rzuciła się do niego z pretensjami:

– Coś ty, mężusiu, rozum postradałeś?! Takiego psa przegnać! On nasze dziecko przed niedźwiedziem uratował. Teraz nie śmiej go tknąć nawet palcem!

Odtąd żył pies na gospodarskim wikcie jak u Pana Boga za piecem. A z niedźwiedziem, który uratował go od głodowej śmierci, zostali przyjaciółmi.

Pewnego razu gospodarze urządzili przyjęcie – zaprosili gości, pysznej strawy naszykowali. Pies także postanowił zawołać niedźwiedzia. Kiedy gospodarze i ich goście rozbawili się na dobre, pies niepostrzeżenie wprowadził niedźwiedzia do kuchni, ukrył za piecem i dalejże mu jadło i napoje ze stołu nosić.

Niedźwiedź najadł się i napił do syta, a kiedy goście zanucili piosenkę, nie wytrzymał i dawajże ryczeć i wyć z całych sił! Wystraszyli się goście. Poleciały w niedźwiedzia rondle i patelnie.

– Uciekaj, przyjacielu, jeśli ci życie miłe – mówi do niedźwiedzia pies. – A ja w ślad za tobą trochę poszczekam.

Oto jak dzięki niedźwiedziowi pies przed gospodarzami znów się wykazał!

BAJKA O DZIELNYM ZAJĄCU

Urodził się w lesie zajączek, który ciągle czegoś się bał. Trzaśnie gdzieś gałązka, poderwie się ptaszek, spadnie z drzewa bryła śniegu – zajączek już ma duszę na ramieniu.

Bał się tak przez dzień, dwa dni, tydzień i rok, aż w końcu wyrósł duży i znudziło mu się bać.

– Nie boję się nikogo! – krzyknął na cały las. – Nie boję się nic a nic
i kropka!

Zebrały się stare zające, zbiegły się malutkie zajączki, przywlokły się
stare zajęczyce – wszystkie słuchają, jak się chwali zając swoją odwagą,
długimi uszami, skośnymi oczami, krótkim ogonkiem. Słuchają i własnym
uszom nie wierzą. Jeszcze tego nie było, żeby zając nie bał się niczego!

– Ej ty, długouchy, a wilka też się nie boisz?

– Ani wilka się nie boję, ani lisicy, ani niedźwiedzia – nikogo się nie boję!

To zabrzmiało już nazbyt zabawnie. Młode zajączki zachichotały, przykrywając mordki przednimi łapkami. Zaśmiały się też dobre, stare zajęczyce. Uśmiechnęły się nawet stare zające, którym zdarzyło się nieraz wymknąć z łap lisicy lub uciec wilczym zębiskom. Naprawdę śmieszny ten zając! Ach, jakiż on śmieszny!

I wszystkim nagle zrobiło się wesoło. Zające zaczęły fikać koziołki, skakać, ścigać się, zupełnie jakby powariowały.

– Co tu dużo mówić! – krzyczał zupełnie już rozochocony zając. – Jeśli spotkam wilka, sam go zjem…

– Ach, jaki śmieszny ten zając! Ach, jakiż on głupiutki! Myśli, że
da radę wilkowi – śmieją się pozostałe zające.

A wilk był tuż-tuż. Chodził sobie po lesie, załatwiał swoje wilcze
sprawy, w końcu zgłodniał i pomyślał, że dobrze byłoby przekąsić
jakiegoś zajączka. Wtem usłyszał, jak gdzieś niedaleko zające ha-
łasują i o nim, szarym wilku, mówią.

Od razu zatrzymał się, powęszył w powietrzu i zaczął się skradać, aż podszedł całkiem blisko rozbawionych zajęcy. Słyszy, jak się z niego śmieją, a najbardziej zając chwalipięta – skośnooki, długouchy, z krótkim ogonem.

„Ech, brachu, ja ci pokażę! Już ja cię zjem!" – pomyślał szary wilk i zaczął przyglądać się, który to zając przechwala się swoją odwagą. A zające niczego nie widzą, bawią się w najlepsze. Skończyło się tak, że zając chwalipięta wszedł na pieniek, przysiadł na tylnych łapkach i przemówił:

– Słuchajcie, tchórze! Słuchajcie i patrzcie na mnie. Oto zaraz pokażę wam pewną sztuczkę. Ja… ja… ja…

Wówczas język chwalipięty zupełnie jakby przymarzł. Zając dostrzegł patrzącego na niego wilka. Inne zające nie widziały zagrożenia, a on widział i nie śmiał nawet oddychać.

I wydarzyła się rzecz zupełnie nieoczekiwana.

Zając chwalipięta podskoczył do góry jak piłeczka i ze strachu upadł prosto na szerokie wilcze czoło. Koziołkując, przetoczył się po wilczym grzbiecie, przekręcił się jeszcze raz w powietrzu, a potem dał takiego drapaka, jakby gotów był wyskoczyć z własnego futerka.

Długo biegł nieszczęsny zajączek, aż zaczął tracić siły. Ciągle zdawało mu się, że wilk depcze mu po piętach i lada chwila chwyci go zębami.

Wreszcie biedaczek zupełnie osłabł, zamknął oczy i padł jak nieżywy pod krzakiem.

Tymczasem wilk biegł w przeciwnym kierunku. Kiedy zając wpadł na niego, myślał, że ktoś do niego strzelił i dlatego tak szybko uciekał. Zupełnie przestał myśleć o zającach…

Pozostałe zające długo nie mogły dojść do siebie. Jeden czmychnął w krzaki, drugi skrył się za pniem, jeszcze inny uciekł do norki. Wreszcie znudziło im się już chowanie i zaczęły – co odważniejsze – powolutku wyglądać z ukrycia.

– Nasz zając nieźle wystraszył wilka! – zające stwierdziły zgodnie. – Gdyby nie on, nie uszłybyśmy z życiem… Ale gdzież jest nasz nieustraszony bohater? – zainteresowały się.

Zaczęły szukać. Chodziły, chodziły, ale nigdzie nie było dzielnego zająca. Czyżby zjadł go inny wilk? W końcu jednak znalazły: leży w norce pod krzaczkiem ledwie żywy ze strachu.

– Zuch, długouchy! – krzyknęły zające jednym głosem. – Ach, ty!...
Nieźle nastraszyłeś starego wilka. Dzięki, brachu! A my myślałyśmy, że
się tylko przechwalasz.

Słysząc to, zając od razu nabrał wigoru. Wyszedł ze swojej norki, otrzepał się, zmrużył oczy i przemówił:

– A co sobie myślałyście? Ech wy, tchórze…

Od tego dnia zając sam zaczął wierzyć, że rzeczywiście nikogo się nie boi i naprawdę stał się dzielny.

LISICA I DROZD

Na drzewie, w gniazdku drozda wylęgły się pisklęta. Dowiedziała się o tym lisica. Przybiegła i stuk-stuk! – zapukała ogonem w pień drzewa.
Drozd wyjrzał z gniazda, a lisica mówi:
– Zrąbię drzewo ogonem, a ciebie i twoje dzieci zjem!
Drozd przestraszył się i zaczął prosić lisicę:

– Lisiczko, dobrodziejko, nie rąb drzewa, oszczędź moje dzieci! Za to nakarmię cię plackami i miodem.

– Jeśli tak, zostawię drzewo w spokoju!

– A zatem – powiada drozd – chodźmy na wielką drogę.

Tak też zrobili. Ptak leci, a lisica w ślad za nim biegnie. Zobaczył drozd, że drogą idą staruszka z wnuczką, niosąc koszyk placków i dzbanek miodu.

Lisica ukryła się, a drozd usiadł na drodze i udaje, że nie może latać. Unosi się nad ziemią, po czym siada. Wzlatuje i znowu przysiada.

Wnuczka mówi do babci:

– Złapmy tego ptaszka!

– Jak to zrobimy?

– Jakoś nam się uda. Widać, że ma chore skrzydełko. Jest taki piękny!
Staruszka z dziewczynką postawiły koszyk i dzbanek na ziemi i pobie-
gły za drozdem.

Tym sposobem drozd odciągnął je od placków i miodu. Tymczasem lisica nie próżnowała: najadła się do syta placków z miodem i jeszcze schowała na zapas.

Drozd odleciał do swojego gniazda, a lisica tuż za nim i zaraz – stuk--stuk! – zapukała w pień drzewa:

– Zrąbię drzewo ogonem, a ciebie i twoje dzieci zjem!

Drozd wyjrzał z gniazda i dalejże prosić lisicę:

– Lisiczko, dobrodziejko, nie rąb drzewa, oszczędź moje dzieci! Za to napoję cię piwem.

– Ruszajmy więc czym prędzej. Po tym tłustym i słodkim jedzeniu pić mi się chce!

Drozd ponownie poleciał na drogę, a lisica pobiegła w ślad za nim.

Patrzy drozd: jedzie chłop, wiezie beczkę piwa. Podleciał do niego i a to na koniu przysiądzie, a to znowu na beczce. Tak rozgniewał chłopa, że ten postanowił zabić ptaka. Drozd usiadł na zatyczce beczki.

Chłop jak nie uderzy siekierą! Mocnym ciosem wybił z beczki korek. Drozd odleciał, a chłop pobiegł za nim.

Piwo trysnęło z beczki i rozlało się na drogę. Lisica napiła się, ile dusza zapragnie, i poszła sobie, podśpiewując wesoło.

Przyleciał drozd do swojego gniazda. Lisica znowu – stuk-stuk! – zapukała ogonem w drzewo.

– Droździe, droździe, nakarmiłeś mnie?

– Nakarmiłem!

– Napoiłeś mnie?

– Napoiłem!

– Teraz musisz mnie rozśmieszyć, bo jak nie, to zrąbię drzewo ogonem i zjem ciebie i twoje dzieci!

Drozd zaprowadził lisicę do wsi. Patrzy: staruszka doi krowę, a obok staruszek plecie łapcie. Drozd usiadł kobiecie na ramieniu, a chłop na to:
– Nie ruszaj się, zabiję tego ptaka!

I z całej siły walnął swą żonę w ramię! Tyle że nie trafił w drozda. Staruszka upadła i wywróciła wiadro z mlekiem. Podniosła się i dalejże na staruszka krzyczeć.

A lisica długo śmiała się z niezdarnego staruszka.

Tymczasem drozd powrócił do swojego gniazda. Nie zdążył jeszcze nakarmić dzieci, a lisica już bije ogonem w drzewo: stuk-stuk-stuk!

– Droździe, droździe, nakarmiłeś mnie?

– Nakarmiłem!

– Napoiłeś mnie?
– Napoiłem!
– Rozśmieszyłeś mnie?
– Rozśmieszyłem!
– Teraz mnie przestrasz!
Rozzłościł się drozd i mówi:
– Zamknij oczy i biegnij za mną!

Leci drozd, pogwizdując, a lisica pędzi za nim, oczu nie otwierając. Naprowadził drozd lisicę wprost na myśliwych.

– A teraz, lisico, bój się!

Lisica otworzyła oczy, zobaczyła psy – i w nogi! A psy za nią. Ledwo udało się jej uciec do nory. Wlazła do środka, złapała oddech i zaczęła pytać:

– Oczka, oczka, coście robiły?

– Oczka uważnie patrzyły, by psy lisiczki nie dogoniły.

– Uszka, uszka, coście robiły?

– Uszka uważnie słuchały, by psy lisiczki nie dognały.

– Nóżki, nóżki, coście robiły?

– Nóżki co sił gnały, by lisiczki psy nie zjadły.

– A ty, ogonie, co robiłeś?

– Pni i krzaków się czepiałem, biec lisicy przeszkadzałem!

Rozzłościła się lisica na ogon i wysunęła go z nory.
– Macie, psy, zjedzcie mój ogon!
Psy chwyciły lisicę za ogon i wyciągnęły z nory.

ZAJĘCZA CHATKA

Lisica i zajączek mieszkali po sąsiedzku. Lisica miała chatkę lodową, a zajączek – z drewna. Nadeszła piękna wiosna i chatka lisicy roztajała, a zajączka stoi jak stała. Lisica wprosiła się więc do zajączka, aby się ogrzać, po czym wygoniła gospodarza z chatki.

Idzie zajączek, płacze, wtem spotyka psa:

– Dlaczego płaczesz, zajączku?

– Jak mam nie płakać? Miałem chatkę z drewna, a lisica z lodu. Chatka lisicy roztopiła się, a ona wprosiła się do mojego domu i mnie wygnała.

– Nie płacz, zajączku! – mówi pies. – Pomogę ci w nieszczęściu.

Podeszli do chatki. Pies zaczął szczekać:
– Hau, hau, hau! Wynoś się, lisico, precz!
A ta, leżąc na piecu, tak im odpowiada:
– Jak wylecę, jak wyskoczę, to wam kości pogruchoczę!
Pies wystraszył się i uciekł.

Zajączek znowu idzie i płacze, naraz spotyka niedźwiedzia:

– Dlaczego płaczesz, zajączku?

– Jak mam nie płakać? Miałem chatkę z drewna, a lisica z lodu. Chatka lisicy roztopiła się, a ona wprosiła się do mojego domu i mnie wygoniła.

– Nie płacz, zajączku – mówi niedźwiedź. – Pomogę ci w niedoli.

– Nie, nie pomożesz. Pies próbował ją przegonić, nie wygonił. Tobie też się nie uda.

– Zobaczysz, przegonię!

Podeszli do chatki. Niedźwiedź dawajże ryczeć:

– Wynoś się, lisico, precz!

A ta im odpowiada, leżąc na piecu:

– Jak wylecę, jak wyskoczę, to wam kości pogruchoczę!

Niedźwiedź przestraszył się i uciekł.

Zajączek znowu idzie i płacze, spotyka byka:
– Dlaczego płaczesz, zajączku?

– Jak mam nie płakać? Miałem chatkę z drewna, a lisica z lodu. Chatka lisicy roztopiła się, a ona wprosiła się do mojego domu i mnie wygoniła.

– Nie płacz, zajączku – mówi byk. – Pomogę ci w nieszczęściu.

– Nie, nie pomożesz. Pies próbował ją wygnać, nie przegonił. Niedźwiedź próbował, nie przegonił. Tobie też się nie uda.

– Zobaczysz, wygonię!

Podeszli do chatki. Byk dalejże ryczeć:
– Wynoś się, lisico, precz!
A ta im odpowiada, leżąc na piecu:
– Jak wylecę, jak wyskoczę, to wam kości pogruchoczę!
Byk także się wystraszył i uciekł.

Idzie zajączek dalej, łzami się zalewa. Wtem spotyka kogucika z kosą:

– Kukuryku! Dlaczego płaczesz, zajączku?

– Jak mam nie płakać? Miałem chatkę z drewna, a lisica z lodu. Chatka lisicy roztopiła się, a ona wprosiła się do mojego domu i mnie wygoniła.

– Nie płacz, pomogę ci w nieszczęściu.

– Nie, koguciku, nie pomożesz. Pies próbował przegonić lisicę, nie wygonił. Niedźwiedź gonił, nie przegonił. Byk gonił, nie wygonił. Jakże ty mógłbyś ją wygnać?

– Zobaczysz, wygonię!
Podeszli do chatki. Kogucik zaczął krzyczeć:
– Kukuryku!
Wynoś się, lisico, precz!
Moja kosa ostra jak miecz.
Kiedy kosę na ciebie podniosę,
pokonam cię jednym ciosem.

Zajączka z chatki wygnałaś,
dość już na piecu się grzałaś,
zabieraj swoje manatki,
zmykaj z drewnianej chatki!

Lisica usłyszała groźną piosenkę, wystraszyła się i mówi:
– Szykuję się…
A kogucik znowu śpiewa swoją pieśń.
Lisica odpowiada:
– Ubieram się…
Śpiew kogucika zabrzmiał po raz trzeci.

W końcu kogucik wleciał do chatki i jak nie machnie kosą! A lisica dalejże uciekać przez okno – został po niej tylko obcięty ogon.

Od tej pory zajączek i kogucik zamieszkali razem w chatce z drewna.

SPIS TREŚCI

Wesoła chatynka
3

Rzepka
15

Niesforna Bułeczka
27

Kot i Kogucik
39

Kurka Złotopiórka
51

Stary Koń
63

Masza i Niedźwiedź
75

Jak Lisica uczyła się latać
87

Nać i korzonki
99

Lisica i Żuraw
111

Dwie myszki
123

Koza Kłamczucha
135

Sprytna Lisiczka
147

Niedźwiedź Lipowa Noga
159

Zimowisko zwierząt
171

Lisica i Rak
183

Niedźwiedź i Pies
195

Bajka o dzielnym zającu
207

Lisica i drozd
223

Zajęcza chatka
239

Wybór bajek: Siergiej Kuźmin
Przekład bajek (15-26, 39-74, 87-98, 111-254): Aleksandra Urban-Podolan
Przekład bajek (3-14, 27-38, 75-86, 99-110): Patrycja Zarawska,
ATOMINIUM Biuro Tłumaczeń Specjalistycznych

Dodatkowe elementy graficzne: Shutterstock
Opracowanie projektu okładki „Firma Księgarska Olesiejuk Spółka z ograniczoną odpowiedzialnością" Spółka Komandytowo-Akcyjna

Ilustracje: Wiktor i Alisa Czajczuk, Aleksander Tkaczuk, Irina i Władimir Pustowałowy
Skład: Jerzy Dombek

© UP „Kniżnyj Dom" 2010
© 2012 for the Polish edition
by Wydawnictwo Elżbieta Jarmołkiewicz Sp. z o.o.

Wydawnictwo Elżbieta Jarmołkiewicz Sp. z o.o.
66-200 Świebodzin, Raków 22
tel. 683 268 484

ISBN 978-83-7711-177-2